Livro 12

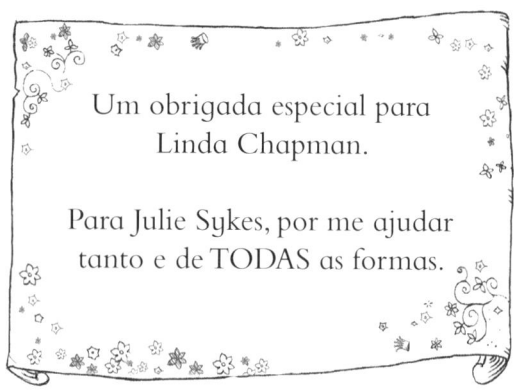

Um obrigada especial para Linda Chapman.

Para Julie Sykes, por me ajudar tanto e de TODAS as formas.

CIP-BRASIL. CATALOGAÇÃO NA PUBLICAÇÃO
SINDICATO NACIONAL DOS EDITORES DE LIVROS, RJ

B17b
Banks, Rosie
   O baile de verão / Rosie Banks ; tradução Monique D'Orazio. - 1. ed. - Barueri : Ciranda Cultural, 2017.
   128 p. : il. ; 20 cm. (O reino secreto ; livro 12)

   Tradução de: Midnight maze
   ISBN: 978-85-380-6845-7

   1. Ficção infantojuvenil inglesa. I. D'Orazio, Monique. II. Título. III. Série.

16-38670   CDD: 028.5
                                                                                  CDU: 087.5

© 2013 Orchard Books
Publicado pela primeira vez em 2013 pela Orchard Books.
Texto © 2013 Hothouse Fiction Limited
Ilustrações © 2013 Orchard Books

© 2017 desta edição:
Ciranda Cultural Editora e Distribuidora Ltda.
Tradução: Monique D'Orazio
Preparação: Carla Bitelli

1ª Edição
www.cirandacultural.com.br

Todos os direitos reservados. Nenhuma parte desta publicação pode ser reproduzida, arquivada em sistema de busca ou transmitida por qualquer meio, seja ele eletrônico, fotocópia, gravação ou outros, sem prévia autorização do detentor dos direitos, e não pode circular encadernada ou encapada de maneira distinta àquela em que foi publicada, ou sem que as mesmas condições sejam impostas aos compradores subsequentes.

O Baile de Verão

ROSIE BANKS

O Baile de Verão

Diversão de verão	9
Um enigma resolvido	23
O Chalé das Rosas	33
Corrida contra o tempo	47
Sigam aquele sapo!	61
As regras da rainha Malícia	73
Magia forte	91
O Baile de Verão	105

Diversão de verão

O cheiro de hambúrgueres assando na churrasqueira percorria o parquinho da Escola Valemel. Adultos e crianças passeavam por entre barracas de cores vivas. Havia ali a caixa de surpresas, a barraca de doces e o castelo pula-pula. Sentada atrás da mesa de pintura de rosto, Summer Hammond fechou o livro que estava lendo e soltou um suspiro alegre. Ela adorava a festa da escola.

O Baile de Verão

Ao lado dela, sua amiga Ellie terminava de pintar uma cara de tigre em Finn, o irmão caçula de Summer.

– O que você acha? – ela perguntou, segurando um espelho.

Finn rugiu e disse:

– Sou o melhor tigre do mundo!

– Eu tenho uma charada de tigre para você, Finn – Ellie falou. – Você sabe qual é a piada do tigre?

– Não sei! Qual? – perguntou ele, curioso.

– Não tem piada; tigre não pia! – Ellie respondeu sorrindo.

Finn deu uma risadinha. Summer balançou a cabeça enquanto ria. Ellie estava sempre contando piadas, e algumas delas eram muito ruins!

Diversão de verão

– Vou de novo lá na caixa de surpresas. Obrigado, Ellie – disse Finn. Ele se levantou num salto e saiu correndo.

– Eu amo pintura no rosto! – Ellie disse com entusiasmo, colocando os cachos ruivos atrás das orelhas.

– Você é incrível fazendo isso – comentou Summer, que estava lendo um livro de contos enquanto Ellie pintava o rosto do pessoal.

Ellie tinha começado a limpar os pincéis. No início, quando começaram com as pinturas, havia bastante gente na fila, mas agora o público tinha diminuído. Summer olhou no relógio e disse:

– A Olivia e a Maddie devem estar chegando para trocar com a gente logo mais, aí vamos poder sair para passear na festa.

– E encontrar a Jasmine. Como será que ela está se saindo? – Ellie pensou em voz alta.

Jasmine era sua outra melhor amiga. Ela decidiu se vestir de mulher sábia e prever o futuro das pessoas.

– Nós vamos ter que arrastá-la um pouco para longe das adivinhações – sugeriu Summer. – Eu quero comprar alguns bolos de fada da barraca de doces. Parecem deliciosos.

– Não tão deliciosos como os verdadeiros bolos de fada… – disse Ellie.

As duas sorriram.

– Com certeza, não! – concordou Summer.

Ela sorriu pensando no segredo surpreendente que compartilhava com suas duas

melhores amigas. Elas tinham uma caixa mágica com o poder de levá-las para uma terra encantada chamada Reino Secreto. A caixa tinha sido feita pelo rei Felício, o governante gentil daquela terra. Quando o belo reino mergulhou em apuros, a caixa viajou para o mundo dos humanos para encontrar as únicas pessoas que poderiam ajudar: Summer, Ellie e Jasmine!

– Você se lembra de quando nós comemos aqueles bolos de fada e viramos fadas por alguns minutos? – Summer sussurrou.

Ellie fez que sim e perguntou:

– E aqueles cupcakes que a gente viu na Confeitaria Doçura, que voavam de verdade?

Summer suspirou, com saudades daquele dia mágico.

– Espero que a Trixi nos envie uma mensagem na Caixa Mágica em breve… Temos que voltar, o rei Felício ainda precisa da nossa ajuda.

O Baile de Verão

A irmã perversa do rei, a rainha Malícia, causava todos os tipos de problemas no Reino Secreto. Seu plano maligno mais recente tinha sido fazer o rei Felício comer um bolo enfeitiçado. Agora ele estava se transformando em um horrível sapo fedido. Só uma poção-antídoto composta por seis ingredientes raros poderia quebrar o feitiço. Até o momento, Ellie, Summer e Jasmine tinham encontrado cinco ingredientes, mas o tempo estava se esgotando. Se o rei não bebesse a poção-antídoto até a meia-noite do Baile de Verão, ele seria um sapo para sempre.

– O rei Felício estava mesmo se comportando como um sapo quando o vimos pela última vez – disse Ellie, ansiosa. – Espero que ele não tenha piorado.

Summer concordou com a cabeça. Ela adorava o reizinho alegre e rechonchudo, e não suportava a ideia de que ele pudesse se transformar em um sapo fedido. Felizmente, o rei não sabia o que estava acontecendo, porque sua fadinha real, Trixi, e a tia sábia dela, Maybelle, tinham lançado um encanto para fazer todos esquecerem a maldição da rainha. Assim, ninguém entraria em pânico enquanto Summer, Ellie e Jasmine estivessem ocupadas procurando os ingredientes para a poção-antídoto.

– Qual será o último ingrediente? – refletiu Summer.

Bem nessa hora, Olivia e Maddie apareceram para assumir a barraca de pintura no rosto, e Summer e Ellie rapidamente pararam de falar.

– Obrigada por continuarem o trabalho aqui – Ellie agradeceu às outras garotas.

Summer guardou o livro na bolsa enquanto ela e Ellie corriam para encontrar a barraca de

Jasmine. Era uma tenda listrada com um grande letreiro em caligrafia rebuscada em que se lia:

Madame Jasmina Rosa.
Vidente extraordinária.
Entre. Se tiver coragem.

Quando chegaram à tenda, saiu dali uma menina do segundo ano.

– Nossa, uau! – disse a garota, parecendo confusa. – Preciso me lembrar de que meu número da sorte é oito, assim vou poder ter bastante sorte daqui para a frente!

Ellie e Summer deram risada e colocaram a cabeça na abertura da tenda para espiar lá dentro. Jasmine estava sentada atrás de uma mesa. Estava com uma saia longa e colorida, com um xale sobre os ombros e um lenço amarrado em volta da cabeça, sobre os longos cabelos escuros. Ela sorriu quando viu as amigas.

Diversão de verão

— Ah, duas lindas menininhas – ela disse com uma voz trêmula, parecendo uma idosa. – Vieram ouvir o futuro de vocês, queridinhas?

Ela acenou para as meninas. Seus olhos escuros tinham um ar brincalhão.

— Está bem. Conte meu futuro, madame Jasmina. – Ellie estendeu a mão.

Jasmine a examinou e exclamou dramaticamente.

— Oh, não! O que é isso? Vejo que você tem uma viagem para continuar! Uma jornada a um lugar distante e emocionante!

– Seria talvez algum reino secreto? – Ellie brincou também.

Jasmine riu e endireitou a postura.

– Espero que isso esteja no futuro de nós três.

– Você trouxe a Caixa Mágica? – Summer perguntou, ansiosa.

– Trouxe. Está aqui.

Jasmine pegou a mochila de baixo da mesa e tirou a caixa de dentro. As laterais de madeira eram entalhadas com imagens de sereias e unicórnios, e havia um espelho oval na tampa, rodeado por seis pedras preciosas verdes. Sempre que os amigos no Reino Secreto queriam enviar uma mensagem, o espelho se iluminava. Summer olhou para ele, mas, para sua decepção, ele não estava brilhando.

Jasmine se espreguiçou e disse:

– Já cansei de ler futuros. Quero ir dar uma olhada na festa. Vamos!

Diversão de verão

Ela tirou o xale e a saia longa. Debaixo daquela roupa, ela usava shorts e uma camiseta brilhosa rosa-choque. Jasmine virou a plaquinha na frente da tenda de "ENTRE" para "OCUPADO", e depois foram todas olhar as outras barraquinhas.

As meninas foram de barraca em barraca para terem certeza de que não estavam perdendo nada. Adivinharam quantos doces havia dentro da jarra e tentaram descobrir onde o tesouro estava escondido em um mapa. Então foram para onde a professora de Educação Física estava ensinando passos de dança. Cinco ou seis meninas olhavam a professora com atenção enquanto ela lhes dizia o que fazer.

– Venham! Vamos participar! – chamou Jasmine. Ela adorava dançar.

– Eu vou esperar aqui – disse Summer, timidamente.

Ao contrário da amiga, ela não gostava muito que as pessoas a vissem dançar.

– Não, venha, por favor! – Jasmine encorajou.

– Vai ser divertido – disse Ellie.

– Tá bom – Summer cedeu, e as outras meninas a pegaram pelas mãos e a puxaram para a pista de dança.

A professora lhes deu as boas-vindas e disse:

– Venham participar! É fácil. Você dá um passo para a direita, depois gira. Dá um passo para a esquerda e depois entrelaça os braços com a pessoa da direita e uma gira a outra em um círculo. Experimentem!

Ellie estava certa. Era muito divertido, e Summer logo esqueceu que tinha gente assistindo. Jasmine a girou bem forte, e Summer deu um gritinho. Seus cabelos loiros giraram com ela.

Quando a dança terminou, todas estavam cansadas, mas felizes.

Diversão de verão

– Agora estou com bastante fome. Vamos comer bolo – sugeriu Jasmine. Mas, assim que pegou a mochila, prendeu a respiração: tinha uma luz escapando dali.
– A Caixa Mágica! Está brilhando!

– Rápido. De volta para a sua tenda! – disse Ellie.

Esquecendo os bolos, elas voltaram correndo para a tenda onde Jasmine estava prevendo o futuro. Só podia ser uma nova mensagem do Reino Secreto!

Um enigma resolvido

Jasmine, Summer e Ellie fecharam bem a entrada da tenda atrás delas, garantindo que a plaquinha continuasse mostrando "OCUPADO". Summer tirou a Caixa Mágica da bolsa. Uma luz prateada fluía do objeto, e algumas palavras começavam a rodopiar na superfície da tampa. Ellie as leu em voz alta:

– Perto de onde as fadinhas aprendem a voar
ao redor das árvores, bem alto, lá no ar,
encontrem uma amiga e seu chalé charmoso.
Ela colocará fim a esse feitiço horroroso.

Assim que ela terminou de ler a rima, a tampa da caixa se abriu. Dentro havia seis pequenos compartimentos que guardavam um objeto mágico cada. Um deles era um cristal especial que controlava o clima. Outro era um saquinho de pó cintilante, com quantidade suficiente para conceder dois desejos às meninas.

Uma fonte de fagulhas cintilantes disparou para fora da caixa, e o mapa mágico anima-

Um enigma resolvido

do que mostrava o Reino Secreto saiu de seu compartimento. Ele flutuou no ar e se desenrolou sozinho, mostrando a ilha em forma de lua crescente lá embaixo, como se as meninas a estivessem observando através de uma janela. Quando Summer olhou para o Reino Secreto, ela se lembrou de todos os lugares maravilhosos que já tinha visitado com as amigas. Ela podia ver fumaça saindo da chaminé da Confeitaria Doçura, um enxame de abolhas listradas voando ao redor do Vulcão Borbulhante, e ninfas da água acenando em cima das conchas de caramujos aquáticos gigantes, que nadavam perto da Cachoeira Pingos de Luz.

– Temos que encontrar um lugar onde as fadinhas aprendem a voar… – Summer estudou o mapa.

– É na escola que nós aprendemos coisas – disse Jasmine. – Alguém aí está vendo uma escola?

– Ali! – gritou Ellie. – Que tal aquela?

Ela apontou para uma clareira dentro de um bosque. No centro, havia uma construção tamanho-fadinha feita de pedras brancas cintilantes. Bandeiras douradas tremulavam sobre o telhado, e as pequenas fadinhas faziam voos rasantes no ar ao redor das torres, sempre em cima de diferentes tipos de folhas.

– A Escola de Voo das Fadas! – exclamou Ellic, olhando para a pequena legenda ao lado. – Deve ser isso!

– Mas, na verdade, não é para lá que temos de ir. O enigma diz que devemos procurar o chalé de uma amiga, que fica perto da escola – Summer lembrou.

Ela apontou para uma casinha minúscula aninhada nas raízes de um carvalho. Tinha um telhado de palha, e rosas cor-de-rosa cobriam as paredes brancas. Havia um poço dos desejos no

Um enigma resolvido

jardim e canteiros de flores silvestre de cores vívidas por toda parte. A legenda era escrita numa letra muito pequenininha. Summer leu:

– Chalé das Rosas. Talvez seja para lá que a gente deva ir?

– Não sei – respondeu Jasmine. – O enigma dizia que é a casa de uma amiga, mas eu não sei quem mora aí.

– É tão pequena que deve pertencer a uma fadinha – Summer refletiu. – Quais fadinhas a gente conhece…? É claro! – ela exclamou de repente. – Deve ser a tia da Trixi, a Maybelle! O Chalé das Rosas deve ser a casa dela!

– Aposto que você está certa! – disse Ellie.

– Vamos tentar! – emendou Jasmine.

As três colocaram as mãos sobre a caixa e disseram com entusiasmo:

– A resposta para o enigma é Chalé das Rosas.

Houve um clarão, e uma bola de luz verde disparou da caixa e passou raspando pela cabeça delas. As meninas ouviram uma risadinha alegre quando a bola se transformou em uma folha verde com uma fadinha em cima, de braços abertos como se estivesse surfando no mar. Estava com um vestido longo de baile azul-marinho, e seus cabelos loiros desarrumados despontavam debaixo de um lindo chapéu feito de um pequeno lírio azulado.

– Saudações do Reino Secreto! – ela cumprimentou, zunindo entre as meninas.

– Trixi! – as amigas gritaram de alegria.

Um enigma resolvido

A fadinha se aproximou e beijou uma por vez na ponta do nariz.

– É uma grande felicidade ver todas vocês de novo. Que bom que receberam minha mensagem. O Baile de Verão é esta noite! O rei Felício precisa beber a poção-antídoto antes da meia-noite, senão ele vai ser um sapo para sempre.

– Mas ainda temos que encontrar o último ingrediente – disse Summer, ansiosa. – Será que vai dar tempo?

Trixi sorriu.

– Ah, sim! – respondeu a fada. – O último ingrediente é um único pedacinho da pena da fênix que ajudou a primeira das fadinhas a aprender a voar usando folhas. A pena normalmente fica guardada na cristaleira da Escola de Voo das Fadas, então a tia Maybelle já encontrou! Ela está terminando a poção-antídoto neste exato minuto e, assim que estiver pronta, todas nós vamos poder levá-la para o rei Felício.

O Baile de Verão

— E, quando beber, ele vai ficar curado? – perguntou Ellie.

Trixi deu uma pirueta feliz sobre sua folha.

— Sim! E aí vamos poder comemorar no Baile de Verão!

Um enigma resolvido

— Como está o rei Felício? — quis saber Summer.

— Muito parecido com um sapo — Trixi respondeu e franziu a testa. — Ele coaxa o tempo todo e vive comendo moscas. O quanto antes ele beber a poção, melhor.

— Então o que estamos esperando? — disse Jasmine, com os olhos castanhos brilhando. — Chalé da tia Maybelle, lá vamos nós!

O Chalé das Rosas

Trixi deu uma batidinha no anel e entoou um encanto:

– Como fadinhas, vamos para o Chalé das Rosas, salvar o rei Felício de consequências desastrosas.

Uma nuvem faiscante disparou do anel e girou em torno das meninas. As centelhas serpentearam no ar até que Summer de repente sentiu alguma coisa macia debaixo dos pés. Parecia que estava voando. Ela abriu os olhos e, à medida que os brilhos iam clareando, notou que Trixi estava ao seu lado. Summer levou um susto.

O Baile de Verão

— Trixi! Estamos na sua folha! – gritou a menina. Ela começou a balançar e abriu os braços para se equilibrar.

— Vocês gostaram? – perguntou a sorridente Trixi.

— Ah, gostamos sim! – gritou Jasmine. Agora todas elas estavam do tamanho de Trixi. A folha as levava sobre o Reino Secreto, através do céu azul-celeste.

Ellie se sentou, trêmula. Ela não gostava de alturas!

— Falta muito ainda? – ela engoliu em seco, sem se atrever a olhar pela beirada da folha.

– Não se preocupe. Vamos aterrissar logo, logo – disse Trixi.

Jasmine viu as tiaras cintilantes na cabeça de Ellie e na de Summer. Ela ergueu a mão e sentiu que a sua também estava sobre os cabelos escuros. Sentiu uma onda de felicidade. Sempre que as meninas chegavam ao Reino Secreto, tiaras especiais apareciam sobre sua cabeça para que todo o povo dali soubesse que elas eram visitantes do Outro Reino e amigas muito importantes do rei Felício.

– Ah, isso é tão divertido! E vejam só! Trixi, é aquela escola? – perguntou Jasmine.

– Sim – respondeu Trixi.

Jasmine e Summer olharam para a escola cintilante. Agora que estavam do tamanho de fadinhas, a construção parecia gigantesca. O telhado dourado brilhava sob a luz do sol, e bandeirinhas roxas bordadas com folhas douradas

O Baile de Verão

tremulavam em cada um dos cantos. Os quatro lados do edifício cercavam uma grande praça de grama verde-esmeralda, onde várias fadinhas brincavam e praticavam voo sobre folhas verdes. Elas estavam com vestidos de todas as cores do arco-íris; algumas tinham chapéus bonitinhos feitos de pétalas de flores, outras tinham flores entrelaçadas aos cabelos. Parecia a escola mais incrível de todas!

O Chalé das Rosas

– Podemos ir lá visitar? – Jasmine perguntou avidamente.

– Talvez outro dia – falou Trixi. – Agora nós temos que ir até o Chalé das Rosas.

Elas desceram com a folha em direção à casa de campo que ficava ali perto. Assim como tinham visto no mapa, o chalé era envolto por uma cerquinha branca e tinha rosas cor-de-rosa espalhadas por todas as paredes e em volta das portas muito azuis. Uma nuvem de borboletas minúsculas vibrava as asas em torno das flores silvestres no jardim. Quando a folha pousou no chão em segurança, as meninas notaram que a janela da cozinha estava aberta e ouviram uma voz cristalina dizendo:

– Mágica de fada, destrua o mal.
Ajude o rei Felício a voltar ao normal.

Trixi saltou da folha.

– Tia Maybelle! Eu trouxe visitas!

Uma fadinha grisalha de costas muito eretas e olhos azuis sábios veio até a janela.

– Que alegria, Trixi, querida, mas estou um pouco ocupada agora. Eu… – ela parou de falar. – Ah, brilhos e purpurinas! São nossas amigas do Outro Reino!

Trixi abriu um sorriso radiante.

– Elas vieram para me ajudar a levar a poção ao rei Felício.

– Será que vai funcionar mesmo? – Summer perguntou à fada mais velha.

– Ah, sim, minha querida – assegurou tia Maybelle. – Mas o rei precisa tomá-la antes da meia-noite. Agora, por favor, entrem!

O chalé tinha vasos de flores por toda parte e tapetes coloridos no chão. Na cozinha, um líquido cintilante borbulhava em um caldeirão sobre o fogão.

– É a poção-antídoto? – Ellie perguntou.

– Sim, eu já coloquei o favo de mel de abolhas, o açúcar prateado e o broto de livro – disse a tia Maybelle.

– E aqui estão os outros ingredientes – falou Jasmine. Ela foi até a mesa e pegou um saquinho de pó brilhante. – Pó de sonho!

O Baile de Verão

Summer imaginou os dragões bonzinhos que voavam pelo reino ajudando as pessoas a dormirem, salpicando sobre elas o pó mágico de sonho.

– Adorei conhecer os dragões no Bosque dos Sonhos – ela disse.

– Eu também. E aqui está a água medicinal que coletamos da Cachoeira Pingos de Luz – comentou Ellie, apontando para um pequeno frasco prateado.

– Vocês fizeram um ótimo trabalho com esses itens. E eis o último ingrediente – falou tia Maybelle, com um sorriso. Com cuidado, ela pegou uma pena de ouro do bolso superior do vestido. A pluma brilhava, enchendo a cozinha de luz.

– A pena da

fênix! – sussurrou Trixi, reverente. – Eu já tinha ouvido sobre ela, mas nunca tinha visto com meus próprios olhos.

– Só precisamos de um pedacinho – disse tia Maybelle. Com delicadeza, ela cortou um tiquinho de nada da pena com uma tesoura afiada de prata e o colocou na mesa com os demais ingredientes. – Agora, por que não terminamos a poção juntas? Summer, você pode, por favor, acrescentar o pó de sonho enquanto a Trixi mexe?

Mais que depressa, Summer pegou a bolsinha e salpicou o pó cintilante sobre a poção. Luzes das cores do arco-íris rodopiaram sobre a superfície enquanto Trixi misturava tudo.

– Ellie, você poderia adicionar a água medicinal? – tia Maybelle pediu gentilmente.

Ellie tirou a rolha do frasco e adicionou a água cristalina no caldeirão. Ela prendeu a respiração vendo a poção assumir um tom prateado cintilante.

Tia Maybelle continuou:

– E, finalmente, Jasmine. Você pode, por favor, colocar o pedacinho de pena da fênix depois que eu disser o encanto?

Jasmine concordou e pegou, com muito cuidado, o fio minúsculo da pena. A tia Maybelle murmurou o encanto:

> – Objetos mágicos, difíceis de encontrar,
> misturem-se para o feitiço encerrar.
> Poção-antídoto, uma vez completinha,
> aja com vigor e derrote a rainha.

Dita a última palavra, Jasmine soltou o pedacinho de pena na mistura. Faíscas de ouro e prata irromperam de dentro do caldeirão e atingiram o teto.

– Era para ter acontecido isso? – perguntou Summer, assustada.

Tia Maybelle sorriu e respondeu:

– Ah, sim. Não se preocupe. Agora, vamos ver.

Ela tirou o caldeirão do fogo e o segurou para que todas pudessem ver o conteúdo. A poção tinha se reduzido a apenas algumas colheradas douradas.

– Perfeito! A poção-antídoto está completa. Vamos colocá-la em uma garrafinha para vocês levarem ao palácio. Tudo o que o rei Felício precisa fazer é beber uma gota, e aí o feitiço será anulado antes que ele se transforme completamente em um sapo.

– Ah, isso não vai acontecer, não!

Um enorme rosto cinzento de couro apareceu na janela. As meninas pularam para trás. Era um Morceguinho da Tempestade, um dos servos da rainha Malícia. Ele tinha um nariz pontudo e tufos de cabelos cinzentos. As meninas podiam ouvir o bater das asas de morcego. Os Morceguinhos da Tempestade já eram bem assustadores quando as meninas estavam no tamanho normal, mas, agora que elas estavam tão pequenininhas, eles pareciam aterrorizantes!

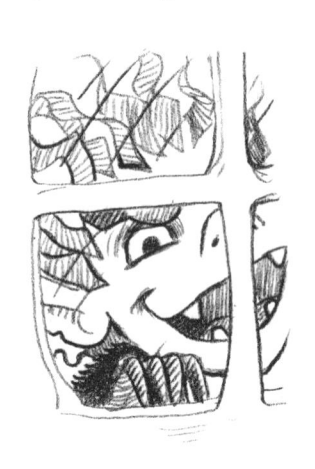

– Acabei de chegar do Palácio Encantado e vocês estão atrasadas! – cacarejou o morceguinho.

– Vá embora, sua criatura horrível! – explodiu a tia Maybelle. Ela apontou corajosamente o anel mágico para ele. – Senão, vou transformar você em um lindo azulão.

O Morceguinho da Tempestade pareceu ficar assustado e respondeu:

– Não faça isso! Tudo bem, eu vou embora!

– Espere! – Jasmine disse, de repente. – O que você queria dizer? Sobre o rei Felício?

Um brilho malvado iluminou os olhos do morceguinho.

– Vocês estão atrasadas com essa poção estúpida. O rei Felício acabou de se transformar completamente em um sapo fedido! Ele já virou tão sapo e tão fedido quanto os sapos fedidos podem ser. Podem fazer o que quiserem, mas a rainha Malícia já venceu!

Gargalhando, ele bateu as asas de couro e se mandou.

Corrida contra o tempo

– Mas o baile ainda nem começou! – exclamou Ellie.

– Pobre rei Felício! – lamentou Trixi, com os olhos já se enchendo de lágrimas.

Summer a abraçou.

– Não se desespere, Trixi querida – falou tia Maybelle com voz calma. – O rei Felício pode ter virado um sapo, mas nós ainda podemos curá-lo. Contanto que beba a poção antes da meia-noite, ele vai voltar a ser como era. A rainha Malícia ainda não venceu.

– E ela não vai vencer. Vamos fazer de tudo para que o rei tome a poção e dê tudo certo! – disse Ellie.

Jasmine fez que sim e reforçou:

– Você pode nos levar até o palácio por mágica, Trixi?

A fada confirmou com a cabeça.

– Claro que posso. Você tem razão. Ainda podemos salvá-lo.

Maybelle colocou uma colherada de poção dentro de uma garrafinha de cristal e fechou com uma rolha.

– Prontinho!

– Não tem muito aí dentro – comentou Summer, com certo nervosismo. – É o suficiente?

– Ah, sim. Ele só precisa de uma gota – então, Maybelle deu a garrafa para Ellie. – Façam uma boa viagem, minhas queridas. Eu vou me trocar para o baile e depois encontro vocês no palácio.

Trixi deu uma batidinha no anel de fada, e as meninas sentiram que estavam sendo levadas para longe.

Elas pousaram no meio de um gramado, mas estavam tão pequenas que a grama cobria suas cabeças. Aquilo parecia mais uma selva!

Na pontinha dos pés, Jasmine viu que elas estavam nos jardins do palácio. Cordões de luzes pisca-pisca estavam pendurados em cada árvore, e o escorregador com as cores vivas do arco-íris, que terminava na lagoa, reluzia ao sol de fim de tarde. Elfos vestidos com casacos pretos e luvas brancas compridas penduravam mais cordões de luzinhas nas sebes do labirinto do palácio.

– Eles estão cuidando dos preparativos para o Baile de Verão – explicou Trixi. – Onde será que está o rei Felício?

– Talvez fosse melhor você deixar a gente do nosso tamanho normal primeiro, Trixi – pediu Jasmine, saltando para sair do caminho de um elfo que quase pisou nela.

– Boa ideia! – Trixi deu uma batidinha no anel e cantarolou:

– De volta ao tamanho de gente.
Jasmine, Summer, Ellie, cresçam imediatamente!

As meninas dispararam de volta ao tamanho original.

– Onde será que o rei Felício pode estar? – questionou Trixi. – Ele gosta da cozinha do palácio. Talvez esteja lá.

Corrida contra o tempo

Elas entraram na cozinha enorme onde os duendes domésticos estavam assando e cozinhando. Deliciosas gelatinas de arco-íris estremeciam em grandes torres, e bolos de fada decorados e com delicadas asas de açúcar voavam por ali.

– Bobbins! – chamou Trixi ao avistar o mordomo-chefe pegando uma bandeja de biscoitos gigantes em formato de unicórnios e sereias. – Você viu o rei Felício?

– Não, desculpe, Trixi, não vi – respondeu o mordomo. Ele sorriu para as meninas. – Mas é bom ver de novo nossas visitantes de honra.

– É bom ver você também, Bobbins – disse Summer. – Mas a gente precisa encontrar o rei Felício.

– E no salão de baile? – sugeriu Ellie. – O rei Felício adora ficar sentado lá no trono confortável dele.

O salão de baile foi o próximo lugar onde elas procuraram. Tinha paredes azuis e um teto abobadado revestido por belas pinturas em murais. Muitas janelas estavam emolduradas por cortinas douradas, e em uma das extremidades havia portas que abriam para os jardins. Lustres de candelabros reluzentes se dependuravam do teto, e as mesas estavam forradas de pilhas e mais pilhas de comida deliciosa e decoradas com flores, mas o trono do rei Felício estava vazio.

– Ah, onde ele está? – perguntou Trixi.

Ellie parecia pensativa e disse:

– Hum. A gente está procurando nos lugares de que ele gostava quando era uma pessoa, mas agora ele é um sapo fedido.

Ela se virou para Summer.

– Você sabe bastante sobre animais, Summer. De que tipo de lugares os sapos gostam?

– Bom, no nosso mundo, os sapos geralmente gostam de lugares úmidos – respondeu Summer.

– Sapos fedidos também! – disse Trixi. – Quanto mais úmido e mais fedido, melhor.

– Onde é o lugar mais úmido e fedido do palácio? – quis saber Jasmine.

Trixi franziu a testa.

– Bom, não tem nenhum lugar fedido no Reino Secreto – ela respondeu –, mas é bem úmido em volta da lagoa do palácio.

– Vamos procurar lá! – disse Jasmine.

Elas correram para fora outra vez. A lagoa reluzia ao sol. A superfície estava coberta de vitórias-régias, e patos nadavam por ali. O escorregador de arco-íris brilhava em tons multicoloridos embaixo d'água. Era um escorregador mágico: descer por ele o conduzia a qualquer lugar desejado no Reino Secreto.

– Rei Felício? – Ellie gritou, olhando ao redor tentando encontrá-lo.

– REBBET!

Todas deram um salto.

– Ali! – exclamou Summer, apontando para um espaço entre duas pedras na lateral da lagoa. Um sapo fedido estava projetando a língua comprida para apanhar mosquitos.

Bem nessa hora, Ellie avistou uma pequena coroa dourada empoleirada meio de lado na cabeça do sapo. Apontou para a coroazinha.

– Ele tem uma coroa. E vejam... – ela indicou um par de pequeninos óculos de meia-lua na ponta do nariz do sapo. – Os óculos do rei Felício! Só pode ser ele!

– Coitado do rei Felício – disse Summer, lamentando pelo feitiço.

– Não se preocupe, Summer. A gente vai ajudá-lo – tranquilizou Jasmine. – Só precisamos dar uma gota da poção para ele.

Corrida contra o tempo

— Quem vai pegá-lo? — Ellie perguntou.

— Eu pego — Summer ofereceu.

Ela se aproximou dos rochedos e chamou baixinho:

— Rei Felício?

O sapo inclinou a cabeça de lado e emitiu um sonoro "REBBET!".

Ele podia ser o rei Felício, mas seu cheiro era tão horrível quanto o de um sapo fedido normal.

Summer torceu o nariz e estendeu os braços para pegá-lo.

– Venha aqui, rei Felício. Só precisamos que Vossa Majestade tome uma gotinha de poção…

– PAREM!

Elas todas giraram e perderam o fôlego.

– Rainha Malícia! – Trixi disse com um gritinho estridente.

Uma mulher magricela estava saindo da lagoa, pingando água pelo caminho. Havia uma coroa espetada nos seus cabelos pretos e crespos, e em uma das mãos ela segurava um cetro preto com um raio em cima.

Corrida contra o tempo

Summer sentiu o estômago dar uma cambalhota.

– Acharam mesmo que eu deixaria vocês me pararem? – sibilou a rainha Malícia. Enquanto ela subia pelo escorregador, as listras coloridas do arco-íris iam assumindo matizes de cinza sob o toque dela. – Vocês não vão quebrar minha maldição. Este reino será meu!

– Não será, não! – disse Jasmine, corajosamente. – Temos a poção-antídoto e também já encontramos o rei Felício!

– Rá! Isso é o que vocês pensam!

A rainha Malícia brandiu o cetro e gritou um feitiço:

– Venham disfarçar, sapos fedidos,
escondam meu irmão de olhos enxeridos!

Houve um estrondo de trovão. O céu escureceu na mesma hora. Trixi deu um gritinho e passou voando sobre sua folha ao ver, de repente, montes e montes de sapos fedidos começarem a cair do céu!

As meninas também gritaram quando viram os sapos pegajosos e fedorentos choverem em volta delas.

– Socorro! – gritou Summer, esquivando-se.

– Rápido! – berrou Jasmine, arrastando as outras para debaixo dos galhos de uma árvore de algodão-doce ali perto.

– Fiquem de olho no rei Felício! – exclamou Ellie, ansiosa, quando Trixi passou voando ao lado delas.

O problema era a dificuldade em ver através da chuva de sapos. Havia centenas de sapos fedidos! Milhares! Eles pousavam no chão com leves pancadinhas e então começavam a saltitar de um lado para outro e a coaxar alegremente. Um fedor de ovos podres encheu o ar.

Summer deu uma espiada na lagoa. O sapo rei Felício havia saltado dali e se juntado aos demais.

– Perdemos o rei Felício! – ela gritou.

A rainha Malícia gargalhou ao descer pelo escorregador e desaparecer.

– Vocês nunca vão encontrá-lo agora! – sua voz ecoou na direção delas. – O Reino Secreto vai ser meu… Todo meu!

Sigam aquele sapo!

– Nós temos que encontrar o rei Felício! – disse Ellie.

– Procurem o sapo que está de coroa – Summer falou para as outras. – Ele deve estar aqui em algum lugar!

O jardim estava um caos. Havia sapos fedidos por toda parte, saltitando, coaxando e berrando. Os Morceguinhos da Tempestade davam voos rasantes, e seus olhinhos pequenos reluziam de satisfação ao pousarem nos jardins do palácio.

O Baile de Verão

As meninas procuraram desesperadas entre o mar de sapos.

– Impossível! – reclamou Trixi.

– Esperem um segundo! Olhem ali! – Jasmine apontou. Um sapo fedido de coroa saltitava para dentro do palácio. – Ali está ele!

– Sigam aquele sapo! – berrou Ellie.

Sigam aquele sapo!

Evitando os outros sapos e tapando o nariz para escapar do cheiro, as meninas correram em direção ao palácio, com a fadinha Trixi voando ao lado delas.

Entraram por uma das portas abertas, que davam para o salão de baile. Os mordomos elfos estavam correndo em pânico, e os duendes da banda sacudiam os instrumentos musicais. Havia sapos pulando por todo lado. Uns estavam sobre as mesas, devorando os bolos de marshmallow e as cerejas nevadas que tinham sido postos para os convidados. Outros pulavam pela pista de dança. Jasmine apanhou um cupcake antes que um sapo pudesse engoli-lo inteiro. Porém, não havia sinal do sapo rei Felício.

Bem nessa hora, as meninas ouviram uma batida na porta.

– Os convidados chegaram! – disse Bobbins, o mordomo-chefe.

Ele ficou pálido, virou-se para as meninas e perguntou:

– O que vamos fazer? Por favor, será que vocês podem ajudar?

– Desculpe, a gente precisa encontrar o rei Felício – Ellie disse.

Aconteceu um clarão.

– Talvez eu possa ajudar no lugar delas! – disse a tia Maybelle, aparecendo no ar ao lado de Trixi. Ela estava usando um vestido verde-esmeralda de baile, e o cabelo estava preso para cima em um coque elegante. Ela voava em uma folha dourada, cujas beiradas eram pontuadas por minúsculas pedrinhas de brilhantes.

– Deixem os sapos e os convidados comigo. Vocês, meninas, encontrem o rei Felício.

Sigam aquele sapo!

– Obrigada, tia Maybelle! – Ellie exclamou, boquiaberta.

De repente, Jasmine guinchou:

– Lá está ele!

O sapo rei Felício estava saltando de volta pelas portas do salão em direção ao jardim.

– Rei Felício! Volte! – Ellie gritou enquanto corria atrás dele.

Mas o sapo não parou. Ele foi pulando debaixo de um arco feito de sebe.

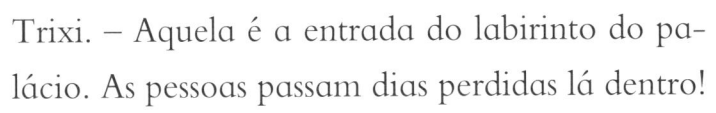

– Ah, não! – gritou Trixi. – Aquela é a entrada do labirinto do palácio. As pessoas passam dias perdidas lá dentro!

As meninas olharam para a sebe alta e espessa. Dentro do labirinto era escuro e sombrio, mesmo com os cordões de luzes pisca-pisca pendurados na entrada.

— Temos que segui-lo – disse Jasmine, sentindo-se corajosa. – Se todas nós dermos as mãos, não vamos nos separar.

As meninas entraram por um caminho tomado pela penumbra, com Trixi voando atrás sobre sua folha.

— Rei Felício! – Jasmine chamou de repente, fazendo as outras darem um pulo de susto.

Nessa hora, Ellie viu um clarão dourado quando um sapo desapareceu em uma esquina.

— Rápido! – ela gritou, correndo atrás dele.

Summer e Jasmine seguiram Ellie, que estava correndo atrás do problemático sapo.

— Esquerda, direita, esquerda, esquerda... – Jasmine recitava para si mesma, tentando se lembrar das voltas e reviravoltas do labirinto, à medida que as ia percorrendo.

Ellie virou outra esquina e parou derrapando tão bruscamente que as outras quase trombaram com ela.

Sigam aquele sapo!

— Rei Felício! — sussurrou Summer, com ar de espanto.

Estavam em uma clareira no meio do labirinto. O sapo de coroa dourada estava sentado em um canto onde o labirinto se bifurcava. Ele olhava de um caminho para o outro, como se estivesse tentando decidir qual seguir.

— Rebbet — ele disse para elas, melancólico.

O Baile de Verão

Nessa hora, Jasmine se lembrou do cupcake que havia pegado antes. Na correria, tinha colocado o bolinho dentro do bolso. Ela teve uma ideia e o pegou.

– Aqui, rei Felício – disse, lentamente colocando o cupcake no chão. – Vamos, rei Felício, venha comer este cupcake delicioso.

Elas todas prenderam a respiração.

O sapo pulou com avidez até o bolo. Depressa, Ellie salpicou a poção em cima do doce, garantindo que caísse até a última gota. O sapo soltou outro "rebbet" e começou a devorar o cupcake de uma só vez.

– Conseguimos! – comemorou Jasmine, abraçando Ellie e Summer. – O rei Felício deve voltar ao normal a qualquer momento!

Elas todas ficaram olhando fixo para o sapo. Porém, nada aconteceu.

– Rei Felício! – chamou Ellie.

O sapo olhou para elas.

– REBBET!

– Não entendo – disse Trixi, confusa. – Era para a poção já ter funcionado a essa altura.

– Vamos lá, rei Felício… Transforme-se! – implorou Jasmine.

– Ainda não é meia-noite, era para ter funcionado – Ellie gritou.

– Ah, coitadinho do rei Felício – disse Summer. Seus olhos se encheram de lágrimas. – Ele vai ser um sapo fedido para sempre?

– HAHAHAHA! – uma gargalhada de escárnio ecoou atrás delas. A rainha Malícia apareceu no meio do labirinto, segurando um sapo com uma coroa de ouro na cabeça. – Vocês estavam procurando o rei, eu acredito?

– Esse aí não é o rei Felício! – disse Jasmine, depois olhou para o sapo que ainda mastigava o bolo. – Este é o rei Felício!

Porém, Summer começou a olhar para o sapo nos braços da rainha.

– Não, a rainha está certa – disse ela, horrorizada. – Aquele sapo que ela está segurando tem os óculos do rei Felício!

As outras olharam e perceberam que o sapo estava usando pequenos óculos de meia-lua, exatamente como os do rei gentil.

– Mas este outro está com a coroa – Ellie observou, confusa.

A rainha Malícia deu uma risada sarcástica e disse:

– Olhem em volta!

Sigam aquele sapo!

As meninas e Trixi giraram no lugar. Os Morceguinhos da Tempestade estavam voando com um monte de coroas iguais nos braços e as estavam colocando sobre a cabeça de todos os sapos fedidos.

Os morceguinhos bateram palma.

– A rainha Malícia enganou vocês! Ela é muito inteligente! E vocês são lerdas que nem lesmas gosmentas.

Summer não podia suportar a decepção.

– A gente deu a poção-antídoto para o sapo errado!

Desanimada, Ellie olhou para a garrafa vazia em sua mão.

– Receio que o plano de vocês tenha falhado – disse a rainha Malícia, toda convencida.

Ela segurou o pequeno sapo em seus braços e prosseguiu:

– Graças a vocês, meninas, meu caro irmão vai ser um sapo fedido para sempre!

As regras da rainha Malícia

— REBBET! — protestou o sapo rei Felício quando a rainha Malícia se virou e apontou o cetro de relâmpago para o palácio.

- Brilhos e ouro agora sumam da visão.
Deixem lama e sujeira, medo e escuridão!

Houve uma grande pancada e depois uma grossa nuvem de fumaça preta disparou da ponta do cetro da rainha e foi em direção ao salão de baile. Com outro lampejo, a rainha desapareceu.

– Atrás dela! – Ellie gritou.

– Mas onde fica a saída? – perguntou Summer.

– Trixi, você consegue nos mandar de volta para o palácio num passe de mágica? – Ellie perguntou.

Trixi sacudiu a cabeça.

– O labirinto é encantado de um jeito que ninguém pode usar magia para trapacear. Meu anel de fada não vai funcionar aqui dentro. Ah, o que vamos fazer?

Ellie e Summer olharam em volta, desesperadas. Estava começando a escurecer, e todos os caminhos pareciam exatamente iguais.

Jasmine, por sua vez, fechou os olhos e começou a murmurar alguma coisa:

– Esquerda, direita, esquerda, esquerda...

– Tudo bem aí, Jasmine? – Summer perguntou à amiga, com nervosismo.

Jasmine apenas assentiu.

– Direita, direita, esquerda... – ela estava recitando baixinho.

Ellie e Summer deram de ombros. De repente, Jasmine disse:

– Acho que já sei. Mas eu tenho que me concentrar. Venham!

Ela saiu correndo pelo caminho da direita. Summer e Ellie seguiram a amiga que percorria os corredores folhosos do labirinto, murmurando pelo caminho.

O labirinto ia ficando mais escuro e mais assustador à medida que a noite caía, e logo Summer mal conseguia enxergar para onde estava indo. Seu coração começou a bater mais depressa. Ela pensou em todas as pessoas que tinham se perdido nos cantos e nas esquinas do labirinto. Ela esperava que Jasmine soubesse para onde estava indo! Summer focou os olhos nas amigas e continuou o mais depressa que podia. Porém,

O Baile de Verão

quando chegaram à virada seguinte, Jasmine parou. Ela olhou da esquerda para a direita, em seguida balançou a cabeça.

– Não sei qual caminho seguir.

– Eu sei! – Ellie gritou. – Olhe, ali estão as luzes pisca-pisca que os elfos estavam pendurando hoje mais cedo!

Ela apontou para a frente, onde as luzes cintilantes brilhavam.

As regras da rainha Malícia

– Vamos! – Trixi chamou, voando com a folha rumo aos jardins do palácio.

– Muito bem, Jasmine! – Summer exclamou, jogando os braços ao redor de sua amiga e lhe dando um grande abraço. – E muito bem, Ellie!

Jasmine sorriu, mas então olhou para o céu escuro com nervosismo.

– Vamos – ela disse. – Não deve faltar muito para a meia-noite, e nós temos que parar a rainha Malícia.

Elas correram para o salão de baile e espiaram pela porta. A rainha Malícia estava no meio do cômodo, gargalhando triunfante, rodeada por uma grossa fumaça preta que ia transformando tudo o que tocava. Os convidados gritaram em pânico quando o lindo trono dourado do rei Felício se transformou em uma cadeira metálica retorcida, com grandes espinhos. As cortinas douradas se tornaram teias de aranha, e a pista de dança virou um pântano enlameado.

O Baile de Verão

– Ah, não! – desesperou-se Jasmine.

Moscas entraram no salão e começaram a zumbir por cima do pântano. Os sapos fedidos pularam para lá com alegria. Uma sombra cinzenta se espalhou na base do trono negro, foi subindo pelas paredes e tomando o teto, rastejando pela bonita sala. Em toda a volta, fadinhas voavam em pânico, e os elfos, traquinas e duendes domésticos se abraçavam com medo.

– Este palácio agora é meu! – declarou a rainha Malícia. Seus Morceguinhos da Tempestade voaram até o antigo trono do rei Felício. – Eu sou a governante do Reino Secreto e vocês todos são meus súditos!

Ela apontou o cetro para os convidados, e todos os lindos trajes de baile se transformaram em trapos.

– Pare com isso! – relinchou bravamente um unicórnio, batendo os cascos no chão. – Cadê o rei Felício? Ele nunca vai permitir isso.

As regras da rainha Malícia

– Ah, ele não vai? Bem, olhe mais de perto... – a rainha estendeu o sapo. – Este é o seu maravilhoso rei!

Todos os convidados soltaram exclamações de horror.

– Não pode ser! – gritou Bobbins. Ele se virou para Trixi e perguntou: – É só um truque, não é?

Trixi sacudiu a cabeça. Lágrimas brotavam de seus grandes olhos azuis.

– Não. Receio que esse sapo seja mesmo o rei Felício – uma lágrima escorreu da ponta do nariz dela enquanto falava.

– Então, o que acha agora, irmão? – a rainha Malícia zombou para o sapo.

Ele esperneava nas mãos dela.

– Não! Isso é horrível! – Jasmine exclamou, zangada.

– Temos que fazer alguma coisa! – Summer sussurrou.

Ellie concordou e disse:

– Não podemos só ficar olhando enquanto a rainha Malícia domina o reino.

As regras da rainha Malícia

— Ainda temos uma chance – disse Jasmine, com os pensamentos disparados. – Se pudermos resgatar o rei antes da meia-noite, vamos conseguir fazê-lo voltar ao normal.

— Mas não sobrou nenhuma poção – Ellie disse, pegando a garrafa vazia.

Elas quebraram a cabeça para pensar em alguma coisa. O que iam fazer?

— Essa não! Está tudo acabado! – desesperou-se Trixi. – A rainha Malícia realmente ganhou desta vez.

— Espere aí – disse Jasmine. – Talvez a gente não tenha poção nenhuma aqui, mas tem um pouco mais no chalé da tia Maybelle. Você pode trazer a poção para cá com mágica, Trixi?

Os olhos de Trixi se arregalaram.

— Posso tentar. Se eu conseguir pensar em algum encanto… – ela enrugou a testa por um momento e pensou. – Já sei!

Ela deu uma batidinha no anel e disse:

– Poção-antídoto, venha a mim...

– SILÊNCIO! – berrou a rainha Malícia, por cima do ruído dos convidados.

Ela ergueu o cetro de forma tão ameaçadora que todos, até mesmo Trixi, ficaram quietos. O único som era o coaxar dos sapos fedidos pulando com tudo na lama e apanhando moscas com as línguas compridas.

– Agora eu sou sua rainha, e as coisas vão mudar – rosnou Malícia. – Meu feitiço já está tomando conta do palácio. Ele vai se espalhar por todo o reino até que não sobre mais felicidade em lugar nenhum.

Houve suspiros de horror.

Summer sentiu enjoo. Jasmine e Ellie pareciam bem preocupadas.

– E teremos novas regras de agora em diante – prosseguiu a rainha. – Regra número um: CHEGA de diversão!

As regras da rainha Malícia

– Chega de diversão? – choramingou um traquinas.

A rainha Malícia se sentou no trono com o rei sapo no colo. Ela ria acima da cabeça rugosa do irmão.

– Diversão, nunca mais! Regra número dois: acabou essa história de danças e música e de festas também, com toda certeza! Regra número três: a partir de agora, vocês vão viver de pão e água! Só meus morceguinhos e eu poderemos comer bolo!

Os Morceguinhos da Tempestade deram vivas.

– E regra número quatro: ninguém pode usar magia sem

a minha permissão. Nem para fazer ou conjurar coisas e nem para ajudar ninguém. Quem usar magia vai ser banido do reino para todo o sempre!

Jasmine ficou desesperada. Elas precisavam pegar a poção, mas, se Trixi fizesse qualquer magia de conjuração, ela seria banida para sempre. Jasmine olhou para a pequena fadinha, que empinou o queixo com coragem e sussurrou:

– Se não fizermos o rei Felício voltar ao normal, o Reino Secreto vai ser um lugar tão horrível que eu nem vou me importar em ser banida.

Summer sorriu para a fadinha corajosa.

Enquanto os Morceguinhos da Tempestade davam vivas e comemoravam, Ellie falou baixinho para Trixi:

– Agora é a nossa chance. Fale o encanto enquanto os Morceguinhos da Tempestade estão fazendo essa algazarra!

Trixi rapidamente deu uma batidinha no anel de fada e sussurrou as palavras:

As regras da rainha Malícia

– Poção-antídoto, venha a mim.
Encha esta garrafa para o feitiço ter fim.

Com um estalo discreto, a pequena garrafa de vidro lentamente se encheu.

– Conseguimos! – sussurrou Summer. – Bom trabalho, Trixi!

– Mas como vamos dar a poção-antídoto para o rei Felício? – perguntou Ellie.

– Precisamos distrair a rainha Malícia – disse Jasmine. – Trixi, você e eu podemos fazer isso. Summer, você e a Ellie vão tentar pegar o rei Felício e dar a poção para ele. Lembrem-se de que só uma gotinha já funciona.

– Tá bom – Summer respondeu e engoliu em seco.

Ela não gostava da ideia de correr até lá e pegar o rei Felício bem na cara da rainha Malícia e dos Morceguinhos da Tempestade. Mesmo assim, ela faria isso para tentar salvar o rei e o Reino Secreto.

– Certo! – falou Jasmine. Ela pegou a garrafa e a entregou à Ellie. – Aqui vamos nós!

Então Jasmine entrou no salão marchando e empinou o queixo.

– Rainha Malícia! Quero dar uma palavrinha com você! – ela gritou.

Os Morceguinhos da Tempestade ficaram em silêncio, e a rainha deu uma risada cruel.

– Você? Sua menina intrometida! – os olhos da rainha ficaram ainda mais duros. – Acabei de pensar em outra regra: nenhum visitante do Outro Reino terá permissão para entrar no Reino Secreto! Saia, agora!

– Não! Suas regras são más! – declarou Jasmine. Todos prenderam a respiração. – Ninguém deveria dar ouvidos a você. O rei Felício deveria ser o governante. Mesmo como um sapo fedido, ele é um milhão de vezes melhor do que você, seu... seu... bicho palito enorme!

— Rápido! — Ellie sussurrou para Summer. As duas tinham ficado tão embasbacadas vendo Jasmine que quase esqueceram sua parte do plano!

— O quê?! — Malícia perguntou com um grito estridente. Ela pulou do trono e jogou o rei Felício no assento. Em seguida, foi pisando duro em direção a Jasmine. Os Morceguinhos da Tempestade atrás do trono observavam avidamente.

Summer e Ellie foram de fininho para o trono o mais rápido que se atreviam. Ninguém estava olhando para elas.

— Eu vou fazer você se arrepender de ter dito isso! — a rainha Malícia falou entre os dentes, erguendo o cetro. — Se gosta tanto assim de sapos fedidos, você vai ver só se gosta de SER um sapo fedido!

— Pare aí mesmo! — Trixi exclamou. Ela voou até bem em frente ao nariz da rainha como um foguete e a fez piscar. – Se machucar a Jasmine, vou jogar um feitiço em você!

– Um feitiço? – os olhos escuros da rainha Malícia quase saíram das órbitas. – Que tipo de feitiço você poderia fazer que fosse capaz de me parar? Saia do meu caminho! – Ela brandiu o cetro em Trixi.

A fadinha desviou.

– Deixe a Trixi em paz! – gritou Jasmine.

Ellie e Summer se abaixaram bastante para os Morceguinhos da Tempestade não as enxergarem e aos pouquinhos foram engatinhando e se aproximando do trono.

– Agora! – sussurrou Ellie.

Summer deu um salto e agarrou o rei. Ele coaxou de surpresa.

As regras da rainha Malícia

– Está tudo bem – Summer sussurrou. Enquanto isso, Ellie tirou a rolha da garrafa.

Mas era tarde demais. O coaxar do rei Felício tinha feito um dos morceguinhos olhar para baixo.

– Rainha Malícia, olhe! – ele gritou. – Aquelas outras meninas pegaram o rei!

– ATRÁS DELAS! – gritou a rainha.

Os Morceguinhos da Tempestade mergulharam na direção das meninas. O líder estendeu os braços e tentou pegar Ellie com os dedos ossudos. Ela se abaixou, e a garrafa voou de suas mãos.

– Não! – gritaram as três meninas, vendo a garrafinha subir no ar e girar lentamente. Por um instante, pareceu que a garrafa ficou lá, suspensa, e depois despencou para o chão, espirrando a preciosa poção em todo lugar!

Magia forte

A rainha Malícia gargalhou estrondosamente quando a poção esparramou no chão.

– Pensaram que poderiam me impedir, não é? Bom, vocês estavam erradas. Vocês perderam! Eu ganhei! Eu...

O rei Felício de repente colocou a língua para fora e pegou uma gota da poção que espirrou do chão. Com um coaxar, ele a engoliu.

– NÃÃÃOOOO! – guinchou a rainha Malícia.

– Sim! – Jasmine comemorou, pulando de alegria.

Trixi gritou de felicidade. Ellie e Summer agarraram uma o braço da outra. Será que o rei iria voltar ao normal?

– Que horas são? – berrou Malícia. – É meia-noite, se eu digo que é! Comecem a contagem regressiva ou eu vou transformar vocês em moscas!

Ela apontou o cetro para a banda de duendes domésticos, e as criaturas começaram a contar com relutância.

– Cinco… quatro… três…

Todos os outros estavam com os olhos fixos no rei Felício. Será que a poção tinha funcionado a tempo?

De repente, o sapo pulou no trono e começou a crescer. Por um momento, ele pareceu se esticar em todas as direções como um brinquedo de borracha e então, com um estalo suave, ele

Magia forte

se transformou no gorducho e roliço rei com os cabelos crespos e a barba branquinha, com os pequenos óculos de meia-lua empoleirados sobre o nariz, e a coroa meio torta na cabeça!

– Rei Felício! – as meninas e Trixi exclamaram, felizes.

O rei piscou como se não pudesse acreditar.

– Vocês… vocês me salvaram!

Trixi voou ao redor da cabeça do rei Felício.

– Vossa Majestade voltou ao normal!

– Não muito normal! – o rei Felício alcançou toda a sua altura e olhou feio para a irmã. – Estou MUITO zangado, e isso não é normal para mim!

As meninas o fitaram de olhos arregalados. O rei Felício costumava ser muito alegre e feliz, mas agora ele parecia furioso.

– Irmã! Eu estou farto de você! – ele rugiu. – Primeiro, você tenta me transformar em um sapo fedido, depois destrói o meu palácio e lança um feitiço maligno sobre todo o reino. Você já foi longe demais!

Arregaçando as mangas, ele pegou um velho livro empoeirado de um bolso dentro do longo manto.

O rosto da rainha ficou pálido, e seus olhos escuros miraram o livro.

Trixi riu de felicidade e disse com um sorriso:

Magia forte

– O Livro Secreto de Feitiços!

– Não! – a rainha Malícia falou entre os dentes. – Você não pode usar isso! Esse livro de feitiços é poderoso demais.

– Sim – confirmou o rei Felício. – E eu vou usá-lo para mandar você, seus Morceguinhos da Tempestade e todos os sapos fedidos para os Territórios dos Trolls, assim você vai poder pensar no que fez.

– Nãããoo! – gemeu a rainha Malícia, agachando-se atrás dos morceguinhos.

O rei Felício abriu o livro, e uma nuvem de brilhos cintilantes encheu o ar. Ele entoou:

– Livro Secreto, lance um encanto
para tornar o reino seguro em todo canto...

No mesmo instante, o livro começou a reluzir com a magia poderosa.

– Com estas palavras eu vou garantir...

– Eu vou me vingar de você por isso! – gritou a rainha. – Você me paga, irmão...

O rei Felício a ignorou e continuou:

– Para os Territórios dos Trolls vocês devem ir!

Assim que terminou o feitiço, ele fechou o livro com um estalo.

Houve um clarão roxo, e a voz da rainha Malícia foi sumindo junto com ela e junto com todos os seus Morceguinhos da Tempestade e sapos fedidos.

Estendeu-se um momento de silêncio até que todos no salão começaram a aplaudir, olhando felizes para o rei.

Magia forte

– Rei Felício, isso foi incrível! – gritou Jasmine, animada.

– Vossa Majestade foi brilhante! – Ellie elogiou também.

– Está tudo bem, rei Felício? – perguntou Summer, preocupada.

O rei piscou e esfregou os olhos.

– Puxa vida, cetros e coroas – ele disse, tremendo um pouco. – Eu tinha esquecido o quanto fico cansado cada vez que uso o livro de feitiços. Não me admira que eu não o use com muita frequência.

Ele tremeu de novo. Jasmine e Ellie seguraram seu braço para o ajudarem a se manter de pé.

– Obrigado, minhas caras – ele agradeceu. – Minha nossa. Sentar me faria muito bem.

As meninas o ajudaram a se sentar no trono, e Trixi conjurou um copo de água. Todos no salão estavam falando ao mesmo tempo.

— Ah, tia Maybelle – disse o rei ao avistá-la no salão. – Acho que devo lhe agradecer pela poção-antídoto.

— Bem, eu não teria conseguido se as meninas e a Trixi não tivessem encontrado todos os ingredientes para mim – comentou ela, sorrindo para as meninas. – Elas foram maravilhosas!

— A Trixi foi muito corajosa – Summer contou ao rei, fazendo a pequena fadinha corar num tom de rosa forte.

— Estamos felizes por Vossa Majestade ter voltado ao normal, rei Felício – disse Ellie.

— Posso ter voltado ao normal, mas meu reino não voltou! – lamentou o rei Felício, um tanto ansioso, olhando em volta e avistando o salão de baile todo sujo e enlameado e seu trono, que tinha ficado preto e pontiagudo. Ele sacudiu a cabeça. – O Baile de Verão está completamente

Magia forte

arruinado, e o Reino Secreto está sob um feitiço terrível.

Jasmine correu até a janela. Lá fora, a cena era horrível. Todas as flores tinham murchado, a grama estava seca, as folhas tinham caído das árvores e todos os lugares estavam cinzentos.

– O feitiço vai mesmo se espalhar por todo o reino? – ela perguntou.

O rei Felício assentiu com tristeza e disse:

– Não sei o que fazer.

– E o livro de feitiços? – lembrou Ellie.

O rei Felício ficou olhando para o livro e depois o guardou de volta no manto.

– Este livro velho é muito poderoso, mas não pode ser usado com muita frequência. Muitos anos vão se passar antes de ele recuperar mágica o suficiente para fazer algum outro feitiço grande – ele explicou tristemente.

– Quando esse momento chegar, já vai ser tarde demais.

– Eu poderia tentar ajudar – ofereceu Trixi.

O rei Felício sorriu para ela.

– Obrigado, Trixi, minha querida. Você realmente é uma fadinha real maravilhosa, mas sabe que sua magia não pode quebrar os feitiços poderosos da minha irmã. Nem mesmo a magia da tia Maybelle pode fazer isso.

– Precisaria ser uma mágica muito forte mesmo – suspirou a tia Maybelle.

POP!

Uma caixa de madeira familiar apareceu de repente no chão na frente deles.

– A Caixa Mágica! – exclamou Summer.

– Que estranho! – disse o rei Felício, surpreso. – Por que será que ela está aqui?

A caixa abriu a tampa e revelou seis compartimentos dentro dela.

– Acho que ela quer nos ajudar – sugeriu Jasmine, pensativa. – Mas como?

Seus olhos vasculharam o conteúdo. Será que havia alguma coisa ali dentro que a caixa queria que elas usassem? O cristal do clima? O chifre de unicórnio? O mapa mágico? Ou talvez…. Ela prendeu a respiração ao ver, de repente, o saquinho de pó cintilante com uma lua crescente bordada na frente. Talvez pudessem usar um dos dois desejos que restavam!

Jasmine pegou a bolsinha e disse:

– Será que o pó cintilante aqui dentro seria poderoso o bastante para fazer tudo voltar ao normal e impedir que o feitiço da rainha Malícia se espalhe pelo reino?

– Só há um jeito de descobrir! – o rei Felício sorriu. – Vocês podem fazer as honras, meninas?

– Joguem o pó cintilante no ar e façam o desejo com a maior força que conseguirem – instruiu Trixi.

Nervosa, Jasmine pegou uma pitada de pó cintilante de dentro do saquinho. Ela, Summer e Ellie se entreolharam.

– Prontas? – Jasmine perguntou.

As outras concordaram. Jasmine jogou o pó no ar. Ele foi caindo com um brilho poderoso.

– Desejamos que o Reino Secreto volte ao normal! – as três gritaram.

De repente, aconteceu um grande lampejo dourado e tudo mudou. A lama e a bagunça desapareceram. Os trapos de todos se transformaram nas roupas de gala novamente, o pântano sumiu e o trono voltou ao normal. Os cristais dos candelabros brilharam, e as mesas se recobriram de comidas deliciosas arrumadas sobre toalhas branquinhas como a neve. Os contornos dourados das janelas cintilaram. Cordões de luzes pisca-pisca e guirlandas de flores decoraram todo o salão.

– Funcionou! – ofegou Jasmine, olhando pela janela e avistando os lindos jardins à luz da lua.

Todos começaram a aplaudir e a se abraçar.

– Tudo está como deveria ser! – disse o rei Felício, contente. – Ah, bom trabalho!

As meninas o ajudaram a subir no trono dourado. Em seguida, ele levantou as mãos para o alto e exclamou:

– Agora, que comece o Baile de Verão!

O Baile de Verão

A banda de duendes domésticos começou a tocar assim que teve início o Baile de Verão. Os elfos serviram um delicioso ponche borbulhante de frutas, e as pessoas começaram a se servir de biscoitos, bolos, gelatinas e frutas cobertas de açúcar. Fadinhas voavam no ar, e os elfos e traquinas valsavam circulando no salão. O rei Felício estava cansado demais para dançar, mas ouvia a música em seu trono com um sorriso radiante no rosto: um sorriso que ficou ainda maior quando Bobbins lhe trouxe um bolo de marshmallow em um pratinho dourado.

– Esse bolo aqui não foi trazido para o palácio por uma criatura meio suspeita usando um manto com capuz, foi? – perguntou Jasmine com um sorriso.

– Ah não, fui eu mesmo que fiz, eu juro – respondeu Bobbins, sorrindo e fazendo uma reverência. Ele entregou uma colher dourada para o rei Felício, que começou a comer.

– Delicioso! – ele declarou. – Realm... *REBBET!*

As meninas prenderam a respiração, horrorizadas. Os olhos do rei Felício piscaram para elas.

– Brincadeirinha! – ele riu.

Ellie, Summer e Jasmine soltaram suspiros de alívio.

– Oh, que baile fabuloso! – disse o rei Felício.

– É quase perfeito – concordou Jasmine.

– Quase? – perguntou o rei, franzindo a testa para ela por cima dos oclinhos de meia-lua.

– Bem, a dança é um pouco antiquada – explicou-se Jasmine, sorrindo. – A gente poderia ensinar novos passos para o pessoal, rei Felício!

– Ah, sim! Por favor, minhas caras! – pediu alegremente o rei Felício.

Jasmine correu até o palco e subiu nele. Logo, todos estavam prestando atenção.

– A Ellie, a Summer e eu vamos mostrar alguns passos novos de dança do nosso mundo. Vamos mostrar o que fazer e vocês copiam a gente!

Ela fez um gesto para as amigas se aproximarem. Ellie se prontificou, mas Summer ficou para trás, corando de vergonha.

Trixi foi voando e parou ao lado dela.

– O que foi?

– Eu não posso fazer isso – Summer sussurrou. – Morro de vergonha de subir num palco diante de todo mundo.

Trixi deu uma risadinha.

– Summer! Você conseguiu derrotar a rainha Malícia! Se você pode fazer aquilo, pode fazer qualquer coisa!

Summer olhou para a fadinha minúscula e, de repente, percebeu que ela tinha razão. Então seguiu as amigas e ficou de frente para os convidados. Todos observavam ansiosamente as três meninas.

"Eu consigo" – Summer pensou.

– Bom, vamos fazer assim – Jasmine instruiu. – Vocês batem palmas para a esquerda e depois para a direita, dão uma pirueta e rebolam, depois giram a outra pessoa num círculo! – ela demonstrou e Ellie e Summer entraram na dança.

Logo, todos estavam imitando as meninas. Os duendes começaram a tocar uma melodia que se encaixava com a dança. Quando todos tinham aprendido os passos, a banda passou a tocar mais e mais rápido até uns girarem os outros na maior velocidade. Ao fim da dança, elas todas estavam com bochechas rosadas e olhos brilhantes. Até mesmo Summer admitiu que tinha adorado!

– Isso foi uma delícia! – declarou o rei Felício enquanto as meninas voltavam para perto dele.

Bem nessa hora, os duendes começaram a tocar uma fanfarra, e Trixi girou na folha, cheia de empolgação.

– É quase meia-noite! – a fadinha gritou. – Desta vez é de verdade!

– Deem as mãos, todos vocês – instruiu o rei

Felício, pulando de seu trono.

As meninas deram as mãos, e todos no salão formaram um círculo antes de a banda começar a fazer a contagem.

– Cinco, quatro, três, dois, um... Viva! – todos gritaram.

No instante em que o relógio bateu meia-noite, todas as fadas deram uma batidinha em seus anéis, e confetes coloridos começaram a cair do teto.

A banda de duendes domésticos iniciou uma canção alegre, mas o rei Felício deu um bocejo enorme. As meninas o ajudaram a subir no trono.

– Ufa! – disse o rei, sorrindo gentilmente para elas. – Estou muito feliz que as coisas estejam bem no meu reino novamente, mas já passou bastante da minha hora de dormir.

Jasmine soltou um suspiro feliz.

– Nós nos divertimos muito no Reino Secreto, rei Felício!

Summer de repente ficou preocupada.

– Agora que a rainha Malícia foi detida e mandada para longe, nós vamos poder voltar para cá, não vamos?

– Ah, sim – o rei Felício respondeu, em tom sério. – Minha irmã pode ter sido detida por enquanto, mas, se eu bem a conheço, tenho certeza de que em breve ela vai bolar outro plano maligno para me fazer infeliz e propagar a infelicidade para todos no Reino Secreto.

Então ele sorriu para as meninas e continuou:

– Ainda assim, com vocês para nos ajudar, vamos conseguir impedi-la.

– Sempre! – Jasmine confirmou.

– Vamos voltar assim que Vossa Majestade nos chamar – disse Ellie.

– Vocês sabem que podem contar com a gente! – disse Summer.

– Eu sei, minhas caras – o rei Felício bocejou

de novo. – Fico sempre muito feliz que a Caixa Mágica tenha encontrado vocês. Eu não podia ter pedido a ajuda de três pessoas mais inteligentes e mais corajosas para protegerem o meu reino. A Caixa Mágica foi mesmo uma das minhas melhores invenções, não foi, Trixi?

– Ah, foi sim – Trixi concordou, balançando a cabeça. – Ela…

Um ronco alto interrompeu a fadinha. Os olhos do rei haviam se fechado: ele tinha caído no sono!

Trixi deu uma batidinha no anel mágico e conjurou um gorro de dormir listrado de roxo e branco. Ela o posicionou com muito cuidado sobre a cabeça do rei e depois conjurou também um cobertor roxo fofo.

– Boa noite, rei Felício – Summer sussurrou, ajudando a cobrir o bondoso reizinho.

– Até a próxima! – disse Jasmine.

O Baile de Verão

– Acho melhor levar vocês para casa, meninas – Trixi falou baixinho para elas. – Obrigada por me ajudarem a salvar o rei e o reino. Vocês são mesmo maravilhosas! Espero vê-las de novo logo, logo.

Ela beijou cada uma das meninas na ponta do nariz e deu uma batidinha no anel. Uma nuvem de fagulhas cintilantes envolveu as amigas.

– Tchau, Trixi! – elas exclamaram surpresas ao serem levantadas do chão.

Elas pousaram em segurança na tenda de adivinhação de Jasmine, com a Caixa Mágica entre elas. Do lado de fora, podiam ouvir os gritos e risos da festa. Como sempre, não tinha passado tempo nenhum no mundo real desde que elas haviam partido. Summer piscou.

– Oh, uau. Parece muito estranho estarmos de volta aqui.

– Muito estranho mesmo – concordou Ellie. Elas se levantaram. – Mas pelo menos voltamos para alguma coisa divertida!

Jasmine pegou o lenço de vidente de cima da mesa, sorriu e disse:

– Eu estava certa. Nós vivemos mesmo uma aventura numa terra muito distante.

– E o que a madame Jasmina está vendo para nós agora? – perguntou Summer, guardando a caixa de volta na mochila de Jasmine.

– Ah, isso é uma boa pergunta. Deixe-me ver, querida – disse Jasmine, falando de novo com a voz trêmula. Ela pegou a mão de Summer. – Oh, sim! Olhando nesta mão eu vejo um montão de novas aventuras!

– Emocionantes? – interessou-se Summer.

– É claro! – Jasmine sorriu.

– Sabem, meninas, eu também sei ver o futuro – os olhos de Ellie reluziram. – E sabem o que eu estou vendo?

– O quê? – Jasmine e Summer perguntaram.

– Um montão de bolos! – Ellie abriu a entrada da tenda, deixando a luz do sol entrar. – A última a chegar até a barraca de doces é um sapo fedido!

– Rebbet! – exclamou Summer e foi atrás.

Jasmine pegou a mochila com a Caixa Mágica e saiu correndo alegremente atrás das amigas, sob a luz do sol.

Não perca!

Acompanhe todas as incríveis aventuras de Ellie, Summer e Jasmine no Reino Secreto!

Livro 1

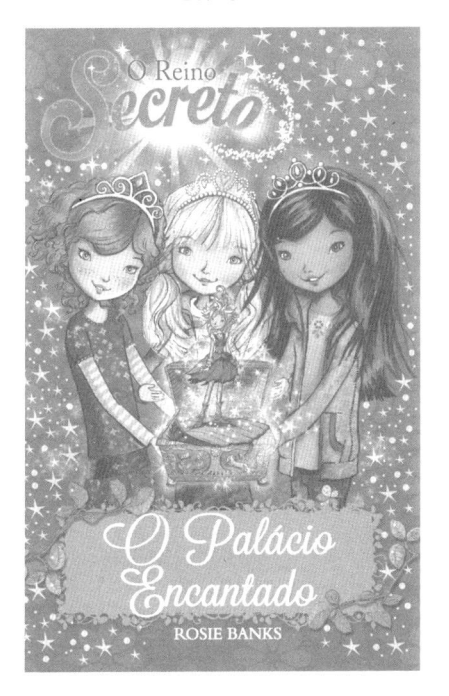

Ellie, Summer e Jasmine são melhores amigas.
Um dia, elas encontram uma caixa mágica
que as transporta para o Reino Secreto.
Agora, elas precisam ajudar a fada Trixi
e o rei Felício a proteger o reino do terrível
relâmpago mágico da rainha Malícia.

Livro 2

Ellie, Summer e Jasmine voltam ao Reino Secreto para mais uma incrível aventura. Dessa vez, a malvada rainha Malícia escondeu um relâmpago mágico no Vale dos Unicórnios. As meninas terão que ajudar os unicórnios e ainda salvar a terra das lagartas pegajosas.

Livro 3

Ellie, Summer e Jasmine se divertem nas alturas, mas, entre algodões-doces e coelhos fofinhos, elas precisam ajudar os habitantes da Ilha das Nuvens a salvar a ilha e todo o Reino Secreto das maldades da rainha Malícia.

Livro 4

Ellie, Summer e Jasmine partem para uma aventura encantada no fundo do mar. Desta vez, elas precisam ajudar as sereias a realizar o Torneio Som do Mar e acabar com a mágica da malvada rainha Malícia.

Livro 5

As amigas Ellie, Summer e Jasmine vão para
a gelada Montanha Mágica e precisam
ajudar os duendes da neve a se livrarem
do quinto relâmpago da terrível rainha Malícia,
antes que todos os duendes congelem!

Livro 6

Ellie, Summer e Jasmine precisam ajudar
as fadas a destruir o último relâmpago
da malvada rainha Malícia, que está na Praia
Cintilante, antes que ele acabe com toda
a magia existente no Reino Secreto.

Livro 7

A malvada rainha Malícia lançou um feitiço no rei Felício, e Ellie, Summer e Jasmine precisam encontrar seis raros ingredientes para fazer o antídoto. As amigas saem em busca do primeiro item, que está escondido no Vulcão Borbulhante, guardado por criaturas mágicas.

Livro 8

Ellie, Summer e Jasmine vão atrás do segundo ingrediente da poção-antídoto que irá salvar o rei Felício, mas, para consegui-lo, terão que enfrentar a terrível rainha Malícia e vencer o concurso de bolos da Confeitaria Doçura.

Livro 9

Ninguém no Reino Secreto consegue dormir, e Ellie, Summer e Jasmine precisam visitar os dragões dos sonhos para quebrar o feitiço da rainha Malícia e salvar o reino, e também conseguir mais um ingrediente para a poção que vai ajudar o pobre rei Felício.

Livro 10

O Reino Secreto

O Lago das Ninfas

ROSIE BANKS

Para ajudar o rei Felício, Ellie, Summer e Jasmine precisam de um pouco de água da Cachoeira Pingos de Luz. Porém, para consegui-la, elas terão que enfrentar as maldades da rainha Malícia e de seus capangas.

Livro 11

Ellie, Summer e Jasmine visitam a incrível Floresta dos Contos, onde os livros nascem em árvores! Porém, elas terão que enfrentar o feitiço da rainha Malícia para salvar a floresta e conseguir o próximo ingrediente da poção para ajudar o rei Felício.

O Reino Secreto